在学习贯彻习近平新时代中国特色社会主义思想主题教育工作会议上的讲话

（2023年4月3日）

习　近　平

人　民　出　版　社

在学习贯彻习近平新时代中国特色社会主义思想主题教育工作会议上的讲话

（2023 年 4 月 3 日）

习 近 平

此前，党中央已下发了关于开展主题教育的《意见》，就抓好这次主题教育作出安排，提出明确要求。这里，我讲 3 个问题。

一、深刻认识开展这次主题教育的重大意义

以县处级以上领导干部为重点在全党深入开展学习贯彻新时代中国特色社会主义思想主题教育，

是贯彻落实党的二十大精神的重大举措，对于统一全党思想、解决党内存在的突出问题、始终保持党同人民群众血肉联系、推动党和国家事业发展，具有重要意义。

第一，这是统一全党思想意志行动、始终保持党的强大凝聚力、战斗力的必然要求。团结统一是党的生命，是党的力量所在。思想上的统一是党的团结统一最深厚最持久最可靠的保证。我们这么大一个党，领导着这么大一个国家，肩负着带领全国各族人民实现国家强盛、民族复兴这个艰巨任务，全党必须统一思想、统一意志、统一行动。怎么实现全党思想、意志、行动的统一？最根本的就是用党的基本理论武装全党。

我们党始终高度重视理论武装，每逢重大历史关头，都要用党的创新理论统一全党思想，每次党内集中教育也都坚持把理论学习作为首要任务并贯穿始终，为全党团结统一奠定坚实思想基础。今天，我们党带领全国各族人民迈上了全面建设社会主义现代化国家、全面推进中华民族伟大复兴的新征程，要更好肩负起新时代新征程党的使命任务，迫切需要用新时代中国特色社会主义思想武装头脑、指导实践、推动工作。

党的十八大以来，伴随着新时代中国特色社会主义思想在实践中形成发展的历程，我们持续推动用党的创新理论武装全党，取得了明显成效。但是，理论武装的任务仍然艰巨。一方面，在真学真信真用、学懂弄通做实方面，还存在一些需要引起重视的问题。有的党员、干部理论学习兴趣不浓，学不进去，学习走形式装样子；有的学习不系统不深入，一知半解、浅尝辄止，知其然不知其所以然；有的学用脱节，学归学做归做，不善于把学习成果转化为干事创业的实际本领，等等。这些问题表明，党的理论武装工作不能搞形式，必须持续往深里走、往实里走。另一方面，党的创新理论在不断发展，党的二十大提出了一系列重大思想、重大观点，党的二十大以来在阐述党的二十大精神过程中又提出了一些新观点，特别是提出并系统阐述了中国式现代化这个重大理论和实践问题，进一步丰富了新时代中国特色社会主义思想。这方面的学习贯彻才刚刚开始。因此，在新征程开局起步之际，必须继续推动全党深入学习贯彻新时代中国特色社会主义思想。历史和现实表明，理论学习不深入不彻底，思想统一就没有基础，党的团结统一就会受到严重影响。

这次主题教育，要在推动学习贯彻新时代中国特色社会主义思想走深走实上下功夫，教育引导党员、干部从思想上正本清源、固本培元，不断提高政治判断力、政治领悟力、政治执行力，增强“四个意识”、坚定“四个自信”、做到“两个维护”，始终在思想上政治上行动上同党中央保持高度一致，做到心往一处想、劲往一处使，共同把党锻造成一块攻无不克、战无不胜的坚硬钢铁。

第二，这是推动全党积极担当作为、不断开创事业发展新局面的必然要求。全面建成社会主义现代化强国、实现第二个百年奋斗目标，以中国式现代化全面推进中华民族伟大复兴，是全党全国各族人民在新时代新征程的中心任务。这是前无古人的开创性事业，前进道路上，必然会遇到大量从未出现过的全新课题、遭遇各种艰难险阻、经受许多风高浪急甚至惊涛骇浪的重大考验。唯有始终保持锐意进取、敢为人先、迎难而上的奋斗姿态，积极担当作为、敢于善于斗争，才能胜利推进强国建设、民族复兴的历史伟业。

我们党百年奋斗的伟大成就都是党团结带领全国各族人民拼出来、干出来的，要把党的二十大描绘的宏伟蓝图变成现实，仍然要靠拼、要靠干。总体来看，现在广大党员、干部的能力素质和精神状态是好的，但也要清醒看到，干部队伍中不愿担当、不敢担当、不善担当的问题还比较突出。有的为了不出事宁愿不干事，得过且过；有的碰到矛盾和难题绕道走，把自身责任往外推，不敢动真碰硬；有的光说不练，表态快、调门高，行动慢、落实差；有的德不配位、能力平庸，挑不起重担，打不开工作局面；有的瞻前顾后、畏首畏尾，在重大风险挑战面前底气不足、惊慌失措，等等。这些问题尽管存在于少数党员、干部身上，但任其发展，就会损害党的形象、贻误党的事业，必须认真加以解决。

这次主题教育，要教育引导广大党员、干部学思想、见行动，树立正确的权力观、政绩观、事业观，增强责任感和使命感，不断提高推动高质量发展本领、服务群众本领、防范化解风险本领，加强斗争精神和斗争本领养成，提振锐意进取、担当有为的精气神。要采取有效措施，着力消除影响干部担当作为的各种消极因素，敢于为担当者担当、为负责者负责、为干事者撑腰，让愿担当、敢担当、善担当蔚然成风，推动广大党员、干部以满腔热忱奋进新征程、建功新时代。

第三，这是深入推进全面从严治党、以党的自我革命引领社会革命的必然要求。治国必先治党，党兴才能国强。全面从严治党永远在路上，党的自我革命永远在路上，解决大党独有难题是一个长期而艰巨的过程，既需要常抓不懈，又需要集中发力，及时消除一切影响党的先进性纯洁性的因素，清除一切侵蚀党的肌体健康的病毒，确保党永远不变质、不变色、不变味。

党的十八大以来，面对党面临的重大风险考验和党内存在的突出问题，我们党以刀刃向内的自我革命精神，采取一系列重大战略举措，坚持和加强党的全面领导，坚定不移推进全面从严治党，党在革命性锻造中变得更加坚强有力。成就有目共睹，问题也不容忽视。党内存在的思想不纯、组织不纯、作风不纯等突出问题尚未得到根本解决，一些已经解决的问题有可能死灰复燃，一些新的问题还在不断出现。比如，一些地方和部门贯彻落实党中央决策部署不到位，要么简单化、“一刀切”，照抄照搬、上下一般粗，要么做选择、搞变通、打折扣，不顾大局、搞部门和地方保护主义；享乐主义、奢靡之风不时抬头，隐形变异行为潜滋暗长，铲除形式主义、官僚主义顽疾还任重道远；一些党组织政治功能、组织功能不强，党建引领基层治理作用发挥还不充分；反腐败斗争形势依然严峻复杂，遏制增量、清除存量的任务依然艰巨，等等。解决这些问题一刻也不能放松，必须把严的基调、严的措施、严的氛围长期坚持下去，不断把全面从严治党引向深入。

这次主题教育，要教育引导各级党组织和广大党员、干部突出问题导向，查不足、找差距、明方向，接受政治体检，打扫政治灰尘，纠正行为偏差，解决思想不纯、组织不纯方面存在的突出问题，不断增强党的自我净化、自我完善、自我革新、自我提高能力，使我们党始终充满蓬勃生机和旺盛活力，始终成为中国特色社会主义事业的坚强领导核心。

二、全面准确把握主题教育的目标要求

党中央下发的《意见》对这次主题教育的总要求、目标任务、方法措施作出了明确规定，各级党组织要结合实际抓好落实，确保取得预期效果。

第一，牢牢把握总要求。这次主题教育的总要求是“学思想、强党性、重实践、建新功”。这四句话体现了我们党认识与实践相结合、理论与实际相联系、改造主观世界与改造客观世界相统一的一贯要求，是一个紧密联系、相互贯通、内在统一的整体。要把这一总要求贯穿这次主题教育全过程。

学思想，就是要全面学习领会新时代中国特色社会主义思想，全面系统掌握这一思想的基本观点、科学体系，把握好这一思想的世界观、方法论，坚持好、运用好贯穿其中的立场观点方法，不断增进对党的创新理论的政治认同、思想认同、理论认同、情感认同，真正把马克思主义看家本领学到手，自觉用新时代中国特色社会主义思想指导各项工作。

强党性，就是要自觉用新时代中国特色社会主

义思想改造主观世界，深刻领会这一思想关于坚定理想信念、提升思想境界、加强党性锻炼等一系列要求，始终保持共产党人的政治本色。

重实践，就是要自觉践行新时代中国特色社会主义思想，用以改造客观世界、推动事业发展，用以观察时代、把握时代、引领时代，积极识变应变求变，解决经济社会发展和党的建设中存在的各种矛盾问题，防范化解重大风险，推动中国式现代化取得新进展新突破。

建新功，就是要从新时代中国特色社会主义思想中汲取奋发进取的智慧和力量，熟练掌握其中蕴含的领导方法、思想方法、工作方法，不断提高履职尽责的能力和水平，凝心聚力促发展，驰而不息抓落实，立足岗位作贡献，努力创造经得起历史和人民检验的实绩。

第二，紧紧锚定目标任务。开展这次主题教育，根本任务是坚持学思用贯通、知信行统一，把新时代中国特色社会主义思想转化为坚定理想、锤炼党性和指导实践、推动工作的强大力量，使全党始终保持统一的思想、坚定的意志、协调的行动、强大的战斗力，努力在以学铸魂、以学增智、以学正风、以学促干方面取得实实在在的成效。具体要达到以下目标。

一是凝心铸魂筑牢根本。要教育引导广大党员、干部经受思想淬炼、精神洗礼，坚定对马克思主义的信仰、对中国特色社会主义的信念、对实现中华民族伟大复兴中国梦的信心，弘扬伟大建党精神，务必不忘初心、牢记使命，务必谦虚谨慎、艰苦奋斗，务必敢于斗争、善于斗争，筑牢信仰之基、补足精神之钙、把稳思想之舵。

二是锤炼品格强化忠诚。要教育引导广大党员、干部锤炼政治品格，不断提高政治判断力、政治领悟力、政治执行力，增强“四个意识”、坚定“四个自信”、做到“两个维护”，以党的旗帜为旗帜、以党的意志为意志、以党的使命为使命，始终忠诚于党、忠诚于人民、忠诚于马克思主义，真心爱党、时刻忧党、坚定护党、全力兴党。

三是实干担当促进发展。要教育引导广大党员、干部胸怀“国之大者”，紧紧围绕新时代新征程党的中心任务，真抓实干、务求实效，聚焦问题、知难而进，以“时时放心不下”的责任感、积极担当作为的精气神为党和人民履好职、尽好责，以新气象新作为推动高质量发展取得新成效，依靠顽强斗争打开事业发展新天地。

四是践行宗旨为民造福。要教育引导广大党员、干部牢固树立以人民为中心的发展思想，坚持一切为了人民、一切依靠人民，自觉问计于民、问需于民，始终同人民同呼吸、共命运、心连心，通过做大"蛋糕"不断增进民生福祉，着力解决人民群众急难愁盼问题，把惠民生、暖民心、顺民意的工作做到群众心坎上，增强人民群众获得感、幸福感、安全感。

五是廉洁奉公树立新风。要教育引导广大党员、干部增强纪律意识、规矩意识，持续纠治"四风"，把纠治形式主义、官僚主义摆在更加突出的位置，做到公正用权、依法用权、为民用权、廉洁用权，推动形成清清爽爽的同志关系、规规矩矩的上下级关系、亲清统一的新型政商关系，当好良好政治生态和社会风气的引领者、营造者、维护者。

第三，全面落实重点措施。这次主题教育不划阶段、不分环节，要把理论学习、调查研究、推动发展、检视整改等贯通起来，有机融合、一体推进。

要强化理论学习。坚持读原著学原文悟原理，坚持多思多想、学深悟透，全面学习领会新时代中国特色社会主义思想的科学体系、核心要义、实践要求，做到整体把握、融会贯通。大力弘扬理论联系实际的马克思主义学风，紧密结合新时代波澜壮阔的历史进程和伟大变革，深刻把握新时代中国特色社会主义思想产生和发展的实践基础；紧密结合统揽伟大斗争、伟大工程、伟大事业、伟大梦想，统筹推进"五位一体"总体布局、协调推进"四个全面"战略布局的时代要求，深刻把握这一思想关于治国理政的新理念新思想新战略；紧密结合工作职责需要，深刻把握这一思想关于相关领域的重要论述以及做好具体工作的思路、举措、办法。把全面学习和重点学习结合起来，引导广大党员、干部坚持干什么就重点学什么、缺什么就重点补什么，增强学习的针对性，努力提高学习实效。各级党委（党组）要采取理论学习中心组学习、举办读书班等多种形式开展集中学习、深入研讨交流。领导干部要上讲台、讲党课，以身作则、以讲促学。坚持以党内教育引导和带动全社会的学习，让党的创新理论"飞入寻常百姓家"。

要深入调查研究。按照党中央关于在全党大兴调查研究的工作方案，组织广大党员、干部特别是各级领导干部扑下身子、沉到一线，深入农村、社区、企业、医院、学校、“两新”组织等基层单位，把脉问诊、解剖麻雀，进行问题梳理、难题排查，运用党的创新理论研究新情况、解决新问题。坚持问题导向，增强问题意识，敢于正视问题，善于发现问题，既看“高楼大厦”又看“背阴胡同”，真正把情况摸清、把问题找准、把对策提实。改进调研方式，力戒形式主义、官僚主义，多到困难多、群众意见集中、工作打不开局面的地方和单位调研。善于换位思考，走进群众，真诚倾听群众呼声、真实反映群众愿望、真情关心群众疾苦，准确了解群众的所忧所盼。注重调研成果转化运用，在调查的基础上深化研究，提高调研成果质量，切实把调研成果转化为解决问题、改进工作的实际举措，防止调查多研究少、情况多分析少，提出的对策建议大而化之、空洞抽象、不解决实际问题。统筹安排、合理确定调研时间、地点，防止扎堆调研、作秀式调研。调研过程中要轻车简从，简化公务接待，不给基层增加负担。

要推动高质量发展。紧紧围绕高质量发展这个全面建设社会主义现代化国家的首要任务，以强化理论学习指导发展实践，以深化调查研究推动解决发展难题，把学习和调研落实到完成党的二十大部署的各项任务中去，以推动高质量发展的新成效检验主题教育成果。认真落实党中央关于贯彻新发展理念、构建新发展格局、推动高质量发展的一系列要求和决策部署，增强系统观念和大局意识，做好着力扩大内需、深化供给侧结构性改革，加快建设现代化产业体系，全面推进乡村振兴，实施科教兴国战略、人才强国战略、创新驱动发展战略，在发展中保障和改善民生，推动绿色发展、推进美丽中国建设，推进全面依法治国，建设社会主义文化强国，维护社会稳定等方面工作，形成共促高质量发展的强大合力。紧密结合实际，打破思维定势，转变思想观念，紧盯本地区本部门本单位影响和制约高质量发展的问题短板及其根源，开展靶向治疗，正确处理速度和质量、发展和安全、发展和环保、发展和防疫等重大关系，不断提高推动高质量发展的系统性、整体性、协同性。需要着重强调，各级领导班子要牢记党和人民嘱托，发扬“功成不必在我、功成必定有我”的精神，坚持一张蓝图绘到底，对已有的部署和规划，只要是科学的、切合新的实践要求的、符合人民群众愿望的，就要坚持，一茬接着一茬干，防止换届后容易出现的政绩冲动、盲目蛮干、大干快上以及“换赛道”、“留痕迹”等现象。

要抓好检视整改。坚持边学习、边对照、边检视、边整改，把问题整改贯穿主题教育始终，让人民群众切实感受到解决问题的实际成效。领导班子要对照《意见》列举的问题，对标对表新时代中国特色社会主义思想和党中央重大决策部署，系统梳理调研发现的问题、推动发展遇到的问题、群众反映强烈的问题，结合巡视巡察、审计监督发现的问题，一项一项制定整改措施，能改的马上改，一时解决不了的，要盯住不放、持续整改，确保整改到位，防止久拖不决、整而不改。党员、干部特别是领导干部要把自己摆进去、把职责摆进去、把工作摆进去，对照检视出来的问题进行党性分析，认真开展批评和自我批评，做到见人见事见思想，着力从思想根源上解决问题。各地区各部门各单位要抓好突出问题的专项整治，敢于动真碰硬，务求取得实效。坚持“当下改”与“长久立”相结合，对主题教育中学习贯彻新时代中国特色社会主义思想的好做法好经验，及时以制度形式固定下来。对反复出现的问题注重从制度上找原因，做好完善机制、建章立制的工作，防止问题反弹。

中央和国家机关在党和国家治理体系中处于特殊重要位置，离党中央最近，服务党中央最直接，对开展好这次主题教育具有风向标作用。这次主题教育，中央和国家机关各部门要带好头、作表率，示范带动主题教育走深走实。同时，要在主题教育中抓好机关和系统内干部队伍教育整顿，切实加强政治教育、党性教育，严守规矩、严明法纪，以严肃教育纯洁思想，以严格整顿纯洁组织，努力建设让党中央放心、让人民群众满意的模范机关，走好践行“两个维护”的第一方阵。

三、切实加强对主题教育的领导

这次主题教育是一件事关全局的大事，时间紧、任务重、要求高。各级党委（党组）要高度重视，精心组织实施，确保圆满完成主题教育各项任务。

第一，明确领导责任。这次主题教育在中央政治局常委会领导下开展，成立中央主题教育领导小组及其办公室，负责主题教育的领导和指导。领导小组成员单位要充分发挥职能作用，形成齐抓共管合力。各级党委（党组）要扛起主体责任，把主题教育谋划好、组织好、落实好。党委（党组）主要负责同志要切实履行第一责任人职责，亲自谋划、靠前指挥、督促指导，不当"甩手掌柜"、不当"二传手"。党委（党组）成员要认真履行一岗双责，加强对分管领域、分管部门开展主题教育的指导督促。行业系统主管部门要加强对本行业本系统开展主题教育的指导。相关部门要明确责任、密切配合，形成良好的组织指导格局，使主题教育善始善终、取得实际成效。要把主题教育开展情况作为领导班子和领导干部年度考核、党组织书记抓基层党建工作述职评议考核重要内容。

第二，强化督促指导。中央派出指导组，对主题教育开展情况进行督促指导。省区市党委和行业系统主管部门党组(党委)派出巡回指导组,加强对所属地区、部门和单位的督促指导。市县两级不组建指导组。各级指导组要采取巡回指导、随机抽查、下沉走访、座谈访谈等方式,严督实导、以导带督,既指出存在问题,又帮助研究对策。要针对不同地区、不同领域、不同行业的特点分类指导,精准施策,防止“一刀切”。要紧紧依靠地区部门单位党委(党组)开展工作,加强沟通交流,及时交换意见,推动问题解决。需要注意的是,形式主义、官僚主义是这次主题教育要重点检视整改的问题,那么这次主题教育就坚决不能搞形式主义,不能搞形式化、套路化、表面化那一套。对可能出现的各种形式主义,要提前预判、有效防范、坚决克服。

第三,注重统筹兼顾。今年是全面贯彻党的二十大精神的开局之年,又要推进党和国家机构改革,任务重、头绪多。各地区各部门各单位要坚持围绕中心、服务大局,把开展主题教育同贯彻落实党中央各项决策部署结合起来,同推动本地区本部门本单位的中心工作结合起来,同推进机构改革结合起来,做到两手抓、两促进,推动党员、干部将焕发出来的学习、工作热情转化为攻坚克难、干事创业的强大动力。要结合实际，统筹安排第一批、第二批主题教育，确保前后衔接、有序推进。

第四，加强宣传引导。要充分发挥各级党报、党刊、电视台、广播电台等宣传主渠道作用，注重运用新媒体，深入宣传党中央部署要求，宣传主题教育的重大意义、目标任务、进展成效。创新方式方法，充分发挥主流媒体和新兴媒体作用，正面引导网上舆论，注意防止"低级红"、"高级黑"。宣传正面典型，总结一批可复制可推广的好经验好做法。深刻剖析反面典型，以案例明法纪、促整改，有效发挥警示作用。

同志们，强国建设、民族复兴的宏伟目标令人鼓舞、催人奋进，我们这一代共产党人使命光荣、责任重大。我们要以这次主题教育为契机，加强党的创新理论武装，不断提高全党马克思主义水平，不断提高党的执政能力和领导水平，为奋进新征程凝心聚力，踔厉奋发、勇毅前行，为全面建设社会主义现代化国家、全面推进中华民族伟大复兴而团结奋斗！

图书在版编目(CIP)数据

在学习贯彻习近平新时代中国特色社会主义思想主题教育工作会议上的讲话/习近平 著. —北京:人民出版社,2023. 5
ISBN 978 - 7 - 01 - 025673 - 3

Ⅰ. ①在… Ⅱ. ①习… Ⅲ. ①习近平-讲话-学习参考资料 ②习近平新时代中国特色社会主义思想-学习参考资料
Ⅳ. ①D2 - 0②D610. 4

中国国家版本馆 CIP 数据核字(2023)第 076442 号
(RMC - ZJDXI - 134 - 20230403)

在学习贯彻习近平新时代中国特色社会主义思想主题教育工作会议上的讲话
ZAI XUEXI GUANCHE XIJINPING XINSHIDAI ZHONGGUO TESE SHEHUI ZHUYI SIXIANG ZHUTI JIAOYU GONGZUO HUIYI SHANG DE JIANGHUA

(2023 年 4 月 3 日)

习 近 平

人民出版社 出版发行
(100706 北京市东城区隆福寺街 99 号)

北京新华印刷有限公司印刷 新华书店经销

2023 年 5 月第 1 版 2023 年 5 月北京第 1 次印刷
开本:880 毫米×1230 毫米 1/32 印张:0. 75
字数:7 千字

ISBN 978 - 7 - 01 - 025673 - 3 定价:3. 00 元

邮购地址 100706 北京市东城区隆福寺街 99 号
人民东方图书销售中心 电话 (010)65250042 65289539